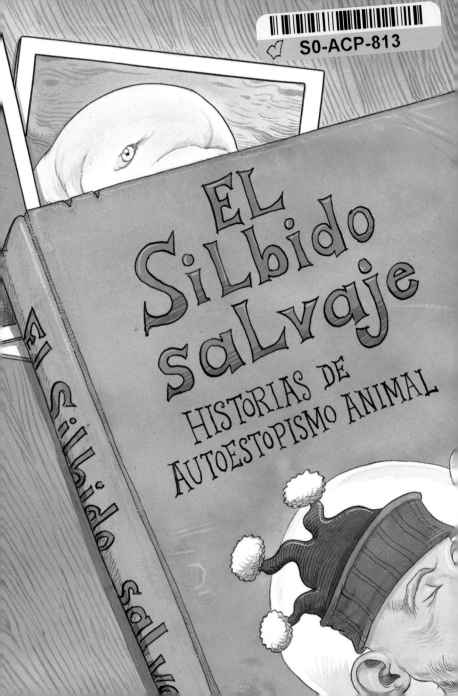

EL SiLbido SaLvaje

HiSTORIAS DE AUTOESTOPISMO ANIMAL

Chris Riddell

1. Vive junto al mar en Brighton, Inglaterra, con su mujer y sus tres hijos.

2. Escribe e ilustra libros como estos, entre otros muchos →

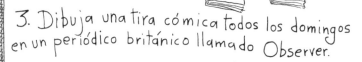

3. Dibuja una tira cómica todos los domingos en un periódico británico llamado Observer.

4. Su obra gusta tanto que ha recibido varios premios, que guarda como un tesoro. Algunos los ha puesto en la estantería de su hijo Jack.

5. El primer coche de su padre fue un Armstrong Siddley (Si quieres saber más, puedes visitar su página personal: www.chrisriddell.com; ¡está escrita en inglés!)

LOS
libros de Ottoline

PREMIO NESTLÉ

PREMIO SHEFFIELD

PREMIO RED HOUSE

PREMIO LINCOLNSHIRE

PREMIO HIGHLAND

PRESELECCIONADO PARA LA MEDALLA

KATE GREENAWAY

COPA GRAN CIUDAD

PREMIO LITERARIO PARA LIBROS SOBRE HABITANTES DE PANTANOS BAJITOS Y PELUDOS

Descubre una nueva aventura de Ottoline y el Sr. Munroe.

Otros títulos de Ottoline:

Ottoline y la Gata Amarilla

Ottoline va al colegio

Chris RIDDELL

Ottoline
en el
mar

EDELVIVES

Para mi sobrino Stephen.

Capítulo
Uno

Ottoline vivía en el piso veinticuatro
del Molinillo de Pimienta, en la calle
Tres, donde también se encontraban el Teatro
Coreano Gruberman, en un extremo
de la calle, y los Jardines Ornamentales,
en el otro. En medio se hallaba la Torre Caja
de Zapatos de la calle Tres.

EDIFICIO MOLINILLO
DE PIMIENTA

TORRE
TRES
PUNTAS

APARTAMENTO
DE
OTTOLINE

TORRE
CAJA DE
ZAPATOS

TORRE
HELADO
DE
CUCURUCHO

TIENDA DE
ZAPATOS
CALLE TRES

LA
BOUTIQUE
DEL
LÁPIZ

HELADERÍA
DE LA
CALLE TRES

CALLE TRES

Ottoline vivía en el apartamento 243 con
el Sr. Munroe, que era bajito y peludo y no
le gustaba la lluvia ni que le cepillaran el pelo.

OTTOLINE ES UNA MAESTRA DEL DISFRAZ Y ES TITULAR DE UN DIPLOMA DE LA ACADEMIA DEL SUBTERFUGIO QUIÉN R-S

EL SR. MUNROE CONOCIÓ A LOS PADRES DE OTTOLINE EN UN PANTANO DE NORUEGA Y SE FUE CON ELLOS A VIVIR A GRAN CIUDAD

ESTE ES EL CUADERNO DE OTTOLINE, EN EL QUE ANOTA LAS COSAS QUE VE E IDEA PLANES BRILLANTES

A Ottoline y el Sr. Munroe se les daba muy bien resolver problemas peliagudos e idear planes brillantes, y lo hacían con mucha frecuencia…

Como aquella vez en que atraparon a la Gata Amarilla, la famosa ladrona de joyas…

PUEDES LEER ESTA AVENTURA EN OTTOLINE Y LA GATA AMARILLA

PUEDES SABER MÁS DE ESTE FANTASMA EN OTTOLINE VA AL COLEGIO

… o aquella otra en que tuvieron que enfrentarse al fantasma del Caballo de los Hammerstein.

Pero todo lo que hacían Ottoline y el Sr. Munroe, lo hacían juntos.

6 Una mañana, al comienzo de las vacaciones escolares…

Esa tarde, Ottoline y el Sr. Munroe paseaban por la calle Tres, cuando el Sr. Munroe se fijó en una enorme valla publicitaria. Se detuvo y señaló el anuncio.

—Ahora no, Sr. Munroe —dijo Ottoline distraídamente—. Necesito unos zapatos para cuando nos vayamos de vacaciones…

NORUEGA

HERMOSA TIERRA DE PANTANOS

CALLE 3

—¡*Bonjour*, Ottoline! —la saludó Vivienne, de la Tienda de Zapatos—. Veo que te has fijado en las Pantuflas de Pingüino. También tengo tu número para los Zapatos de Salón Esquimales, las Plataformas de Caribú y un par de exóticas Botas de Alce.

—Quiero todos —dijo Ottoline—. Nunca se tienen suficientes zapatos en vacaciones. ¿Podría envolverlos con mucha cuerda?

CALZADOS OSO POLAR, S.A.

ZAPATOS DE SALÓN ESQUIMALES

BOTAS DE ALCE

PLATAFORMAS DE CARIBÚ

PANTUFLAS DE PINGÜINO

Por la noche, Ottoline y el Sr. Munroe se
sentaron a cenar. Ottoline tomó macarrones
con queso y zumo de lima recién exprimido,
servido por la empresa Comidas Caseras, S.L.
El Sr. Munroe tomó un cuenco de puré y un
tazón de chocolate caliente, como siempre.

MUCHAS
PERSONAS
CUIDABAN DE
OTTOLINE.
ESTAS
SON SUS
TARJETAS

El Sr. Munroe estaba a punto de sorber
su chocolate caliente cuando…

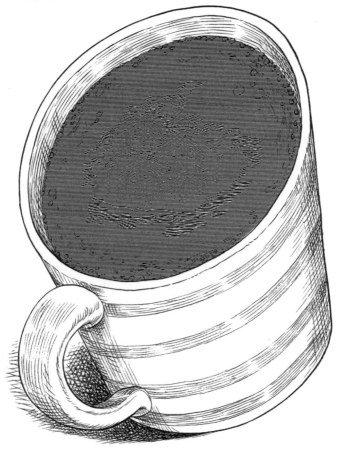

… observó algo muy extraño. Fue corriendo
junto a Ottoline, al otro extremo de la mesa.

—No armes jaleo, Sr. Munroe —le reprendió
Ottoline distraídamente. Estaba demasiado
ocupada releyendo su libro favorito,
El silbido salvaje. Historias de autoestopismo animal, de
Thør Thørrensen, para sacar ideas de lugares
de vacaciones. Acababa de llegar al pasaje
que explicaba cómo ser educado con las llamas.

A la mañana siguiente, Max, el repartidor
de periódicos, llevó *El Buscador* al apartamento
243. Ottoline estaba leyendo la postal
que acababa de encontrar sobre el felpudo
de la entrada.

—¿Os vais a algún sitio interesante
en vacaciones? —preguntó Max.

—No lo he decidido —respondió Ottoline,
que empezó a hojear el periódico—... aún.

ESTA
ES LA
POSTAL

TROLS DE NORUEGA

TROL DE HOCICO VERDE DE NORUEGA

PIECECILLOS, TROL DEL PARQUE DE OSLO

PIES HÚMEDOS, TROL DE LOS FIORDOS

PIES MUY GRANDES, EL ABOMINABLE TROL DE TRONDHEIM

POSTAL

Querida O:

Papá y yo estábamos observando a los trols y papá creyó que había encontrado las huellas de Pies Muy Grandes, ¡pero resultó que eran de un alce bailarín!

Miles de besos,

Mamá

P.D.: Deberías irte de vacaciones con el Sr. Munroe. Os enviamos un paquete.

Srta. O. Brown

Apto. 243

Ed. Molinillo de Pimienta

Calle Tres

GRAN CIUDAD 3001

El Sr. Munroe se pasó el resto del día viendo cosas extrañas.

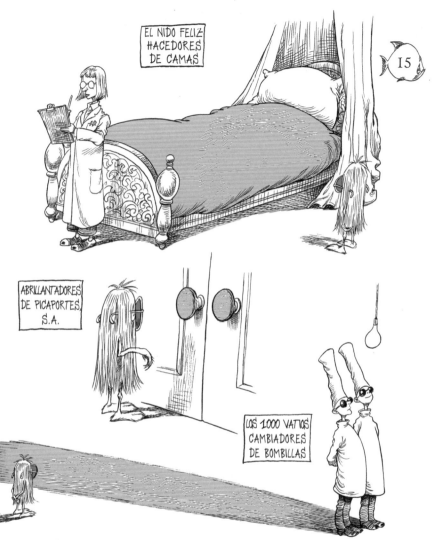

Nadie más las veía. Todos estaban muy
ocupados…

El Sr. Munroe se puso muy triste.

Pero Ottoline no se dio cuenta.

Capítulo Dos

—Me voy a la lavandería —anunció Ottoline más tarde.

El Sr. Munroe no la oyó.

En el sótano, un enorme oso estaba doblando
una montaña de ropa.

—Hola —dijo Ottoline—. Precisamente
contigo quería yo hablar. Estoy pensando
en irme de vacaciones con el Sr. Munroe.
Le vendrá bien un cambio de aires.

—¡Qué buena idea! —replicó el oso—.
¿A algún sitio interesante?

—A algún sitio donde haga sol
—respondió Ottoline—. Al Sr. Munroe
no le gustan ni el frío ni la humedad.
—Levantó una cesta de ropa limpia—.
¿Has visto mis calcetines de rayas?

EL OSO VIENE DE CANADÁ
Y, EN VEZ DE HIBERNAR,
ESTÁ DE VACACIONES
EN EL SÓTANO.

El Sr. Munroe subió por la escalera
de incendios al tejado del Molinillo de Pimienta,
que era donde siempre iba cuando necesitaba
estar solo. Pero esa tarde no se detuvo ahí...

El Sr. Munroe subió a la cúpula del molinillo…

22

... hasta llegar a la cima, más alto de lo que nunca había subido.

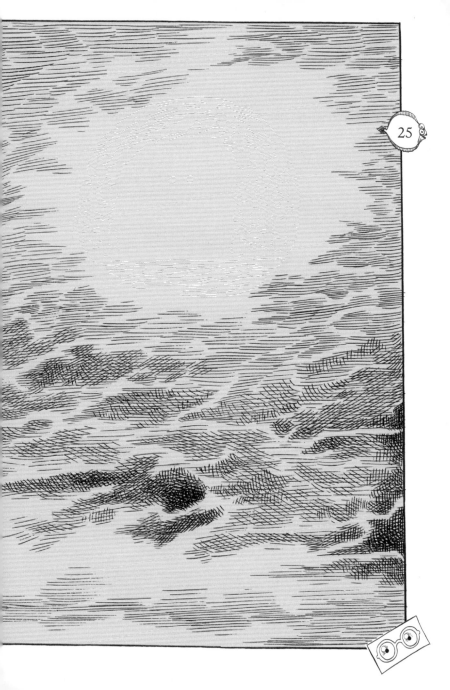

—En Pahang hace mucho sol en esta época del año —dijo el oso, mientras le tendía a Ottoline un pañuelo de flores.

A OTTOLINE LE GUSTA ESCUCHAR LAS TUBERÍAS DE TECHO DEL SÓTANO Y OÍR CONVERSACIONES INTERESANTES DE LOS OTROS APARTAMENTOS DEL MOLINILLO DE PIMIENTA.

—Podría visitar a mi amiga la Sultana
—sugirió Ottoline—. Tiene un elefante
peludo llamado Chao Chao.

   —Qué buen plan. Te ayudo a hacer
las maletas —dijo el oso, mientras doblaba
unos bombachos de lunares—. ¿Vas
a escuchar conversaciones esta tarde?

   —Solo un ratito —contestó Ottoline.

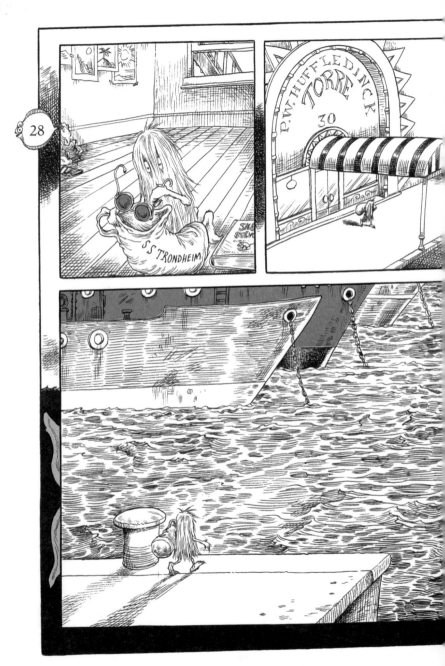

Ottoline y el oso volvieron a subir al apartamento 243.

—¡Sr. Munroe! —Ottoline llamó entusiasmada a la puerta de su cuarto—. ¡Ya sé el sitio perfecto para irnos de vacaciones! El oso ha venido a ayudarnos y... —se calló.

La habitación estaba vacía.

—¿Dónde estará? —preguntó Ottoline con los ojos bañados de lágrimas—. El Sr. Munroe nunca se va sin decírmelo. ¡Y mira! Se ha llevado el saco de muletón…

Ottoline se echó a llorar.

Entonces llegaron la Sra. Pasternak y Morris, su mono de compañía, que vivían en el apartamento 244.

—La puerta estaba abierta, Ottoline, querida —dijo—. ¿Ha pasado algo?

—¡Sí! —sollozó Ottoline—. El Sr. Munroe
ha desaparecido y no sé dónde está.

—Yo sí lo sé —contestó la Sra. Pasternak.

Capítulo Tres

—Es evidente que el Sr. Munroe estaba intentando decirte algo, tesoro —dijo la Sra. Pasternak mientras les servía otra taza de té de la tetera de cuatro pitones.

—Sí. Seguro que el Sr. Munroe se ha ido a Noruega, él solo, por mi culpa —se lamentó Ottoline. El oso le tendió un gran pañuelo de lunares.

—Vamos, vamos, cielo —dijo la Sra. Pasternak tratando de animarla—. Cosas peores se han visto. Lo que necesitas es un buen sueño reparador. Ya verás como todo se ve mejor por la mañana.

Pero esa noche Ottoline no pegó ojo.
No podía dejar de pensar en el Sr. Munroe…

… y lo echaba mucho de menos.

Por la mañana, Ottoline encontró una postal
y un paquete marrón en el felpudo.

DENTRO HABÍA ESTO

COLECCIONISTAS ITINERANTES
VISADO DE DESPLAZAMIENTO
AUTORIZA A *Ottoline Brown*
Y A SU AYUDANTE A ITINERAR 17 DÍAS
ÚNICAMENTE

MIRAR POR AQUÍ

PULSAR ESTE BOTÓN

ITINEROMATIC

CÁMARA DE VIAJE

LA FOTO SALE POR AQUÍ

Ottoline fue corriendo hasta el armario
en el que dormía el oso.

—¡Despierta! —exclamó—. Me voy
a Noruega a buscar al Sr. Munroe.
¿Quieres acompañarme y ser mi ayudante?

—Con mucho gusto —contestó el oso.

EL ARMARIO
ESTÁ LLENO
DE ROPA
DE COLECCIÓN

Ottoline llamó al apartamento 244.

—Buenos días, Sra. Pasternak —saludó—.
Tenía usted razón: las cosas tienen otro color.
Nos vamos a Noruega a buscar al Sr. Munroe.

¿Podría llevarnos al Puerto de Gran Ciudad?

—Creo que puedo hacer algo mejor —dijo
la Sra. Pasternak de manera misteriosa.

Diez minutos más tarde, todos rodaban por la calle Tres en el Warren-Harding Continental de la Sra. Pasternak. El coche era tan grande que la Sra. Pasternak no veía por encima del volante y tenía que mirar a través de él. Morris, el mono, sacó la cabeza por la ventana y fue señalizando con la mano.

La Sra. Pasternak pasó todos los barcos que estaban atracados en el puerto, y fue directa al final del muelle, hasta que Morris hizo la señal de STOP.

La Sra. Pasternak caminó hasta el borde
del muelle y miró atentamente las turbias aguas
del Puerto de Gran Ciudad.

—¡Cu-cuuuuuu! ¡Jules! —gritó—. Soy tía
Judy. Espero no pillarte en un mal momento…

Al cabo de un instante, surgió del agua un periscopio.

—Perdona que te moleste, querido —saludó
la Sra. Pasternak.

El periscopio volvió a sumergirse en el agua,
y empezaron a formarse burbujas y remolinos…

... y entonces salió a la superficie un pequeño y oxidado submarino verde. Se abrió una escotilla y por ella asomaron cuatro cabezas.

—Este es mi sobrino, el capitán Jules —explicó la Sra. Pasternak, muy orgullosa—, y los miembros de la tripulación: Agus, Miranda y Norberto.

—Hola, tía Judy —dijo el capitán Pasternak—. ¿En qué puedo ayudarte?

—Mi vecina, Ottoline Brown, y su ayudante quieren ir a Noruega —explicó la Sra. Pasternak—. ¿Puedes ayudarlos, Jules, querido?

—Conque Coleccionista Itinerante Amateur, ¿eh? —adivinó el capitán Pasternak al ver el Visado de Desplazamientos, y se frotó la barba pensativo—. Tengo que hacer algunos encargos y algunas exploraciones submarinas, pero puedo llevarte un trecho del camino. Luego, con tu Visado de Desplazamientos, no tendrás ningún problema para encontrar otro transporte —dijo el capitán.

—Gracias —contestó Ottoline mientras subía a bordo.

EL

ASÍ SE VE DESDE EL PERISCOPIO

—Tened cuidado —dijo la Sra. Pasternak desde el muelle, mientras agitaba un pañuelo de encaje—. ¡Y abrigaos!

—¡Sí, sí! —respondió Ottoline mientras *El Leviatán de Hierro* se adentraba en el mar.

—Cerrad escotillas —ordenó el capitán Pasternak con tono alegre— y preparaos para la inmersión.

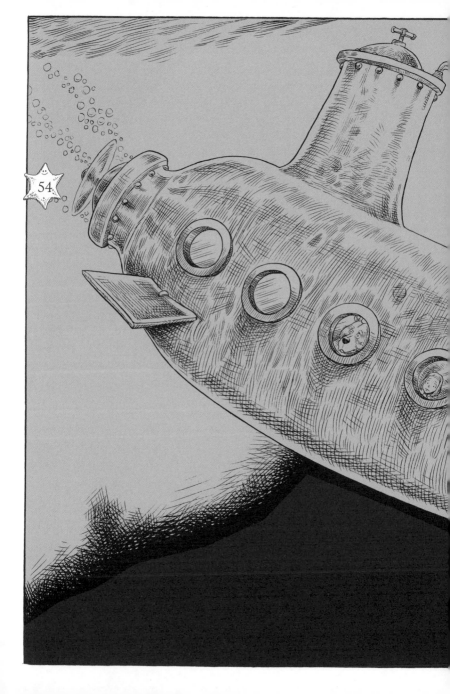

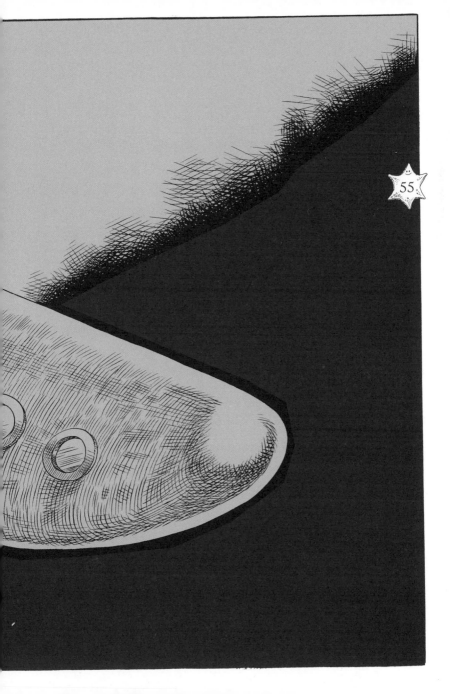

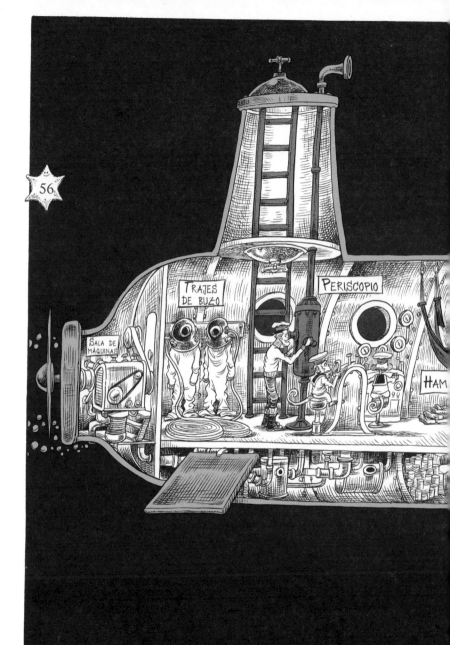

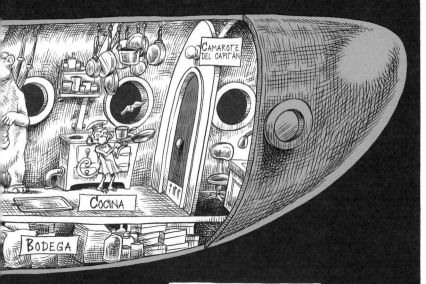

EL LEVIATÁN
DE HIERRO

Ottoline y el oso se acomodaron en sus hamacas mientras *El Leviatán de Hierro* se sumergía cada vez más en el fondo del mar.

—¡Cómo echo de menos al Sr. Munroe! —se lamentó Ottoline.

—Sé que no es lo mismo, pero he traído un cepillo en la maleta…

—¿Por qué habrá decidido ir a Noruega? —murmuró Ottoline mientras le cepillaba el pelo al oso—. Si al Sr. Munroe no le gustan ni el frío ni la lluvia…

—¡Claro! A menos que quiera ayudar a papá y mamá a buscar a Pies Muy Grandes…

—¿Pies Muy Grandes? ¿El Abominable Trol? —exclamó el capitán Pasternak—. ¡Es una ferocísima criatura, según dicen! Mide casi tres metros, ¡y tiene un genio de mil demonios! Y es muy difícil de encontrar, como las sirenas…

—¿Sirenas? —preguntó Ottoline.

—Sí —respondió el capitán Pasternak—. ¿Te gustaría mirar?

—Sí, por favor —contestó ella, y miró por el periscopio—. Pero no veo ninguna sirena.

—Precisamente —dijo el Capitán Pasternak, mientras descolgaba un traje de buzo—. Y ahora vamos a inspeccionar el lugar.

Capítulo
Cuatro

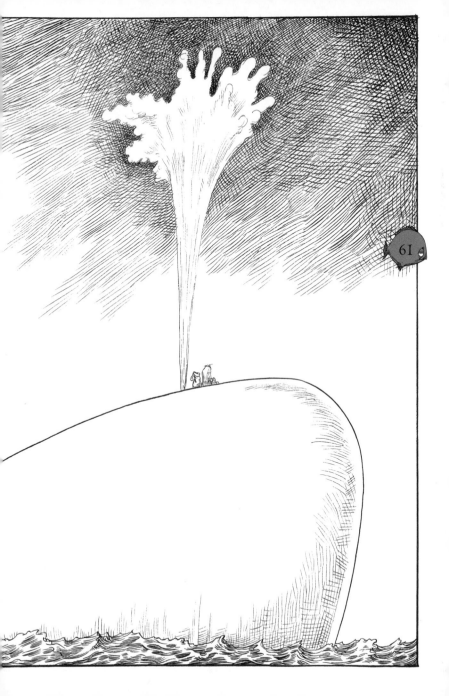

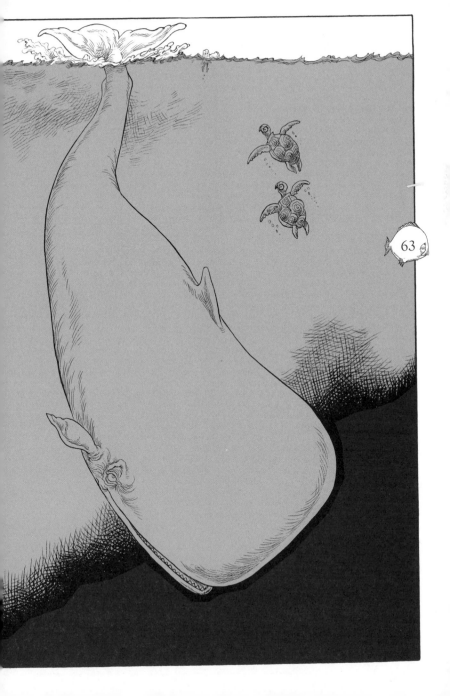

67

A bordo de *El Leviatán de Hierro*, Agus, Miranda
y Norberto ayudaban a Ottoline a ponerse
el traje de buzo.

—Te queda perfecto —dijo el oso.

—¿Preparada para ir a ver a las sirenas?
—preguntó el capitán Pasternak con una voz
bastante sorda.

Ottoline y el capitán salieron del submarino.

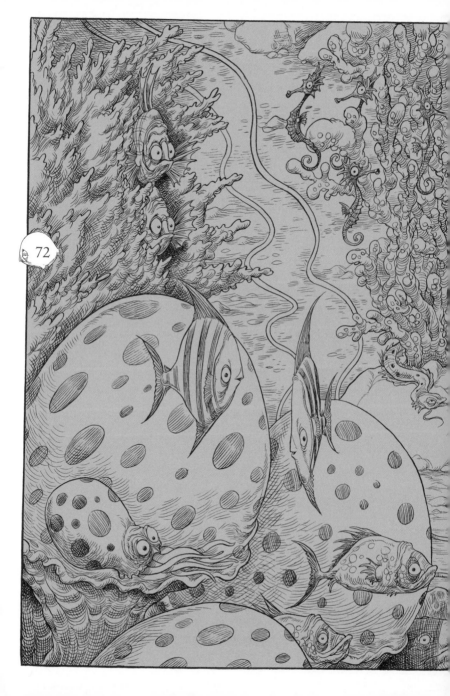

Ottoline creyó haber visto algo interesante
y quiso investigar, pero habían llegado
al límite de sus tubos de oxígeno y no podían
seguir avanzando. Así que dieron la vuelta
y volvieron al submarino.

—Hoy no hay sirenas —dijo el capitán
con una burbujeante voz submarina—.
Así es la exploración bajo el agua: nunca
sabes qué hay a la vuelta de la esquina.

Capítulo Cinco

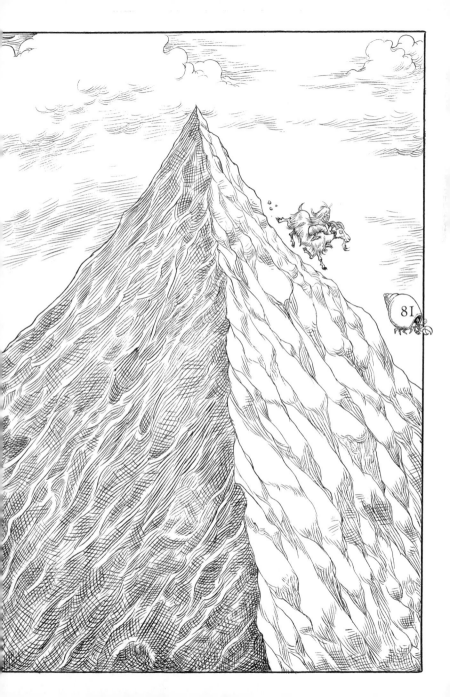

81

82

Ottoline estaba tomando algunas notas
en su cuaderno del Coleccionista
Itinerante Amateur.

Alguien dio unos golpecitos en el ojo de buey.

Ottoline miró. Rápidamente, cogió la Cámara de viaje Itineromatic y empezó a hacer fotos.

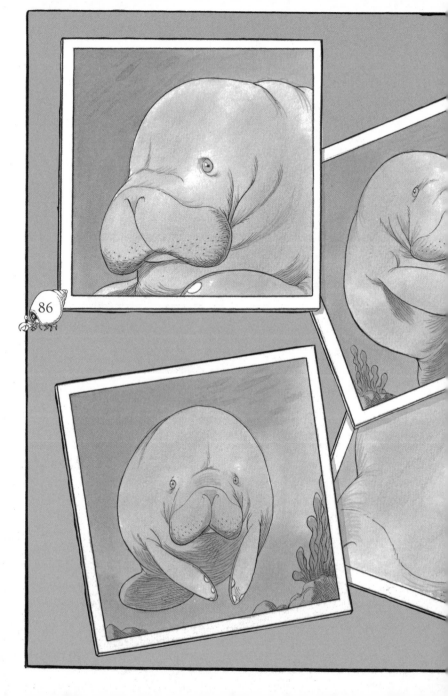

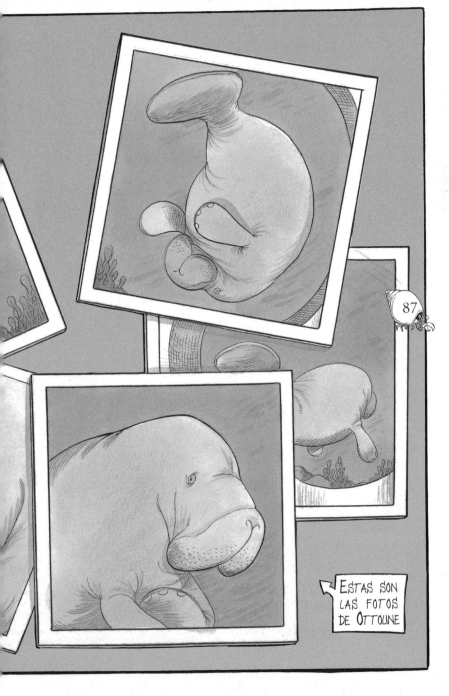

87

ESTAS SON
LAS FOTOS
DE OTTOLINE

Ottoline estaba pegando las fotografías
de la sirena en su cuaderno cuando el oso
salió del camarote del capitán.

—El capitán me ha dado la chaqueta del
segundo de a bordo —dijo muy orgulloso—.
¿Qué te parece?

—Te queda muy bien —afirmó Ottoline
sonriente.

Ottoline llevó el cuaderno al capitán Pasternak
para enseñarle las fotos que había hecho.

El capitán Pasternak estaba sentado
en su mesa, dibujando sirenas imaginarias.

—¿Qué me traes? —preguntó.
Y en ese momento sonó la alarma.

—¿Qué pasa? —preguntó el oso—. ¿Ya hemos llegado?

—No lo creo… —respondió Ottoline, mirando por el ojo de buey.

—Nada grave —dijo el capitán Pasternak—. Solo es la alarma antiicebergs.

—¿Alarma antiicebergs?

—Sí —contestó el capitán Pasternak con tono jovial—. Nos avisa cuando estamos a punto de chocar contra un iceberg gigante.

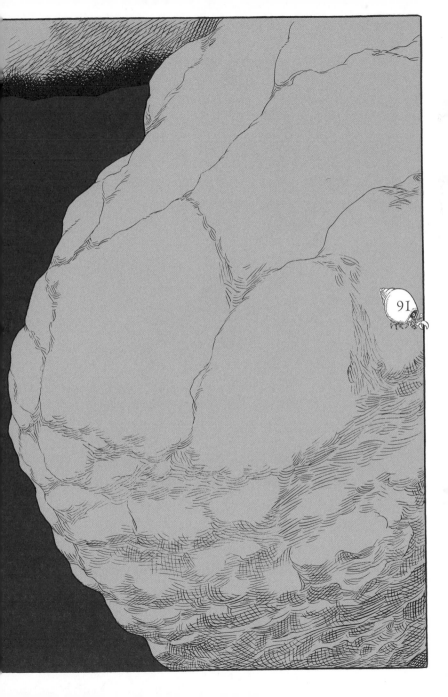

91

—¡Mantened el rumbo! —exclamó
el capitán Pasternak, mientras tomaba el timón
del submarino—. Tripulación, preparaos
para subir a la superficie.

Todos fueron a la popa del submarino,
excepto el capitán Pasternak, que sujetaba
con fuerza el timón, y Norberto, que estaba
agarrado al periscopio.

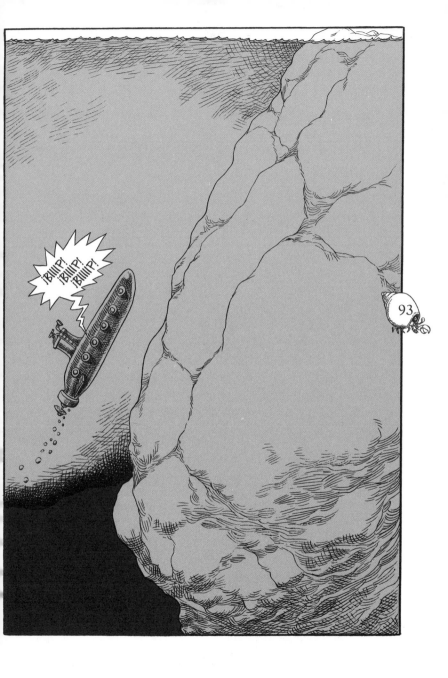

El Leviatán de Hierro salió a la superficie justo
a tiempo para evitar colisionar contra el iceberg
gigante.

El capitán Pasternak abrió la escotilla
y todos se asomaron.

—Hola —los saludaron unos osos polares—.
Nos preguntábamos cuándo llegaríais.

Capítulo
Seis

—Pasad —propuso uno **de los osos**
polares—. Llegáis **a tiempo para**
tomar el té.

—¿Ahí dentro? —preguntó Ottoline.

—Sí —dijo el oso polar, **señalando**
hacia la entrada de una caverna **de hielo**—.
Estamos en la punta del iceberg.

—Bienvenidos a Calzados Oso Polar, S.A. —dijo una osa polar—. Me llamo Carolina.

—¡Tengo algunos de vuestros zapatos en mi colección! —respondió Ottoline entusiasmada—. Me encantan las Pantuflas de Pingüino.

Mientras el capitán Pasternak y la tripulación de *El Leviatán de Hierro* descargaban provisiones, Carolina enseñó el iceberg a Ottoline y al oso.

ANA y ESTEBAN, DE DISEÑO

Esteban enseñó a Ottoline un diseño que estaba haciendo.

—Se llama Zapato Polar Chucuchú.

Ottoline miraba maravillada.

Pablo y Julia les enseñaron algunos
de sus forros de fantasía.
—No es piel de verdad
—explicó Paul.

PABLO Y JULIA,
DE FORROS DE FANTASÍA

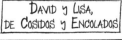

DAVID Y LISA,
DE COSIDOS Y ENCOLADOS

RICARDO Y ÚRSULA,
DE CAJAS DE ZAPATOS

Ricardo y Úrsula
trabajaban en
el Departamento
de Cajas de Zapatos.
—Me encantan las cajas
de zapatos —dijo Ottoline.
—Las cajas de zapatos
son mi vida —replicó Ricardo.

Braulio y Alicia prueban
todos nuestros zapatos
—explicó Carolina—:
confort, calidez
y personalidad.

BRAULIO Y ALICIA,
DE ENSAYOS

—¿Personalidad?
—preguntó el oso.

—Nadie quiere un zapato sin personalidad.
—replicó Alicia.
McNally trabajaba
en contabilidad. Miró
a Ottoline, pero
no dijo nada.

CONRAD, SARA Y ÓSCAR,
DE PEDIDOS

McNALLY,
DE CONTABILIDAD

—Los pingüinos tienen
un don innato para los
números —explicó Carolina—,
pero no hablan mucho.

—¿Y adónde te diriges? —preguntó Carolina cuando terminaron la visita. Ya habían cargado en *El Leviatán de Hierro* los zapatos para llevarlos a Gran Ciudad, y el submarino estaba a punto de zarpar.

—A Noruega —respondió Ottoline.

—Hermosa tierra de pantanos —suspiró Carolina—. Entonces necesitarás unas de estas —y sacó un par de enormes botas de agua.

—Me están un poco grandes —dijo Ottoline—, pero ya creceré. ¡Muchas gracias!

Toda la plantilla de Calzados Oso Polar, S.A.
salió a la punta del iceberg a decir adiós.

—¡Gracias por el té y por la visita!
—se despidió Ottoline.

—Nosotros tenemos que llevar estos zapatos
de vuelta a Gran Ciudad —anunció el Capitán
Pasternak—, pero estoy seguro de que mi
buena amiga Menta Woodvine, de Correos
Árticos, podrá llevaros.

Ottoline oyó un ruido de motor. Miró al cielo y vio un hidroavión que dio tres vueltas a *El Leviatán de Hierro* y luego amerizó junto a él.

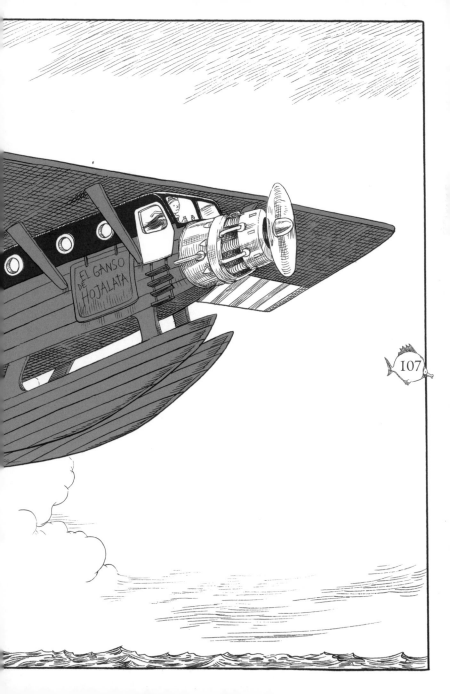

107

III

Capítulo Siete

—¡Ah del barco! —saludó el piloto del hidroavión—. Ya tenía ganas de hacerte una visita, capitán Pasternak.

—Te presento a Ottoline Brown y a su ayudante. Se dirigen a Noruega —explicó el capitán.

—Coleccionista Itinerante Amateur, por lo que veo —dijo Menta Woodvine cuando Ottoline le enseñó el Visado de Desplazamientos—. Hoy estás de suerte, porque paso precisamente por Noruega. ¡Subid a bordo!

—Gracias —respondió Ottoline, impresionada por la larga melena verde de Menta.

—Abrochaos el cinturón y preparaos para despegar —dijo Menta Woodvine mientras ponía en marcha los motores del hidroavión.

—Adiós y gracias, capitán Pasternak —se despidió Ottoline mientras se elevaban por los aires.

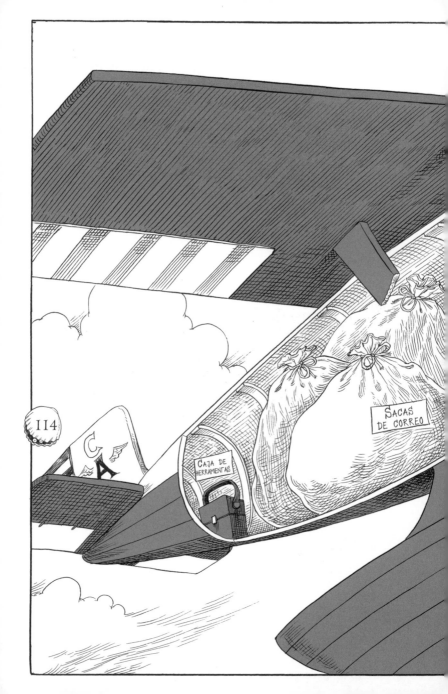

CABINA

MOTOR ARMSTRONG SIDDLEY

115

EL GANSO
DE HOJALATA

Al cabo de un rato, el cielo azul empezó
a oscurecerse y a cubrirse de negros nubarrones
que tenían muy mala pinta...

... y que, a medida que el avión avanzaba,
se hacían más grandes y más negros.

—Puede que notéis algunos baches —avisó
Menta con voz alegre.

Al principio hubo unos ligeros baches…

… y luego, otros bastante considerables.

—¿Y por qué Noruega, hermosa tierra de pantanos? —preguntó Menta Woodvine.

—Voy a buscar al Sr. Munroe, mi mejor amigo —respondió Ottoline, que procuraba no mirar por la ventana mientras el hidroavión se inclinaba—. Creo que ha ido a Noruega para ayudar a mis padres, a buscar a Pies Muy Grandes.

—¿Al Abominable Trol de Trondheim? —exclamó Menta—. Tengo entendido que mide casi tres metros y que tiene unas zarpas que parecen cuchillos y unos ojos brillantes como faros, ¡y que es terrorífico! ¿Por qué iba nadie a querer buscarlo?

—Mamá y papá son Coleccionistas Itinerantes Profesionales —explicó Ottoline—. Siempre viajan buscando objetos interesantes.

—Bueno, ¡espero por su bien que no lo encuentren! —replicó Menta meneando la cabeza.

Entonces hubo un fuerte petardazo, seguido de un sonido metálico.

—¡Sujetaos! —gritó Menta—. ¡Parece que tenemos que hacer un amerizaje de urgencia!

El hidroavión cayó en picado hacia el mar.

Ottoline se agarró al brazo del oso y cerró los ojos.

Hubo un gran silencio y luego un enorme…

Capítulo Ocho

Ottoline abrió los ojos y miró por la ventana de la cabina. El hidroavión se balanceaba sobre el agua, cerca de una isla rocosa en la que había un pequeño bosquecillo.

De los árboles surgieron dos trols de hocico
verde.

—Yo soy George, y este es Ringo
—se presentó el primer trol.

    —Yo soy Ringo, y este es George —dijo
el segundo.

—Hay que volver a remachar los remaches
—anunció Menta mientras sacaba la caja
de herramientas—, y despistonar los pistones.
Tardaré un buen rato...

—Quédate todo el tiempo que necesites
—propuso George.

—Este bosque noruego es muy pequeño y no
tenemos muchos visitantes —dijo Ringo—.
Venid a desayunar; tenemos tortitas y arenques.

BOSQUE
NORUEGO

125

Pies Muy Grandes

1. Mide 3 metros
2. Zarpas como cuchillos
3. Ojos como faros
4. Pelo enmarañado
5. Fauces torcidas
6. ¡TERRORÍFICO!

Por la tarde, mientras Menta reparaba
el hidroavión, el oso se puso a lavar algo de ropa
y los trols hicieron rebotar algunas piedras
en el agua. Ottoline se sentó en una roca en
la orilla, con su cuaderno.

Acababa de terminar el dibujo de Pies Muy
Grandes cuando vio una balsa que se acercaba.
Le sonaba mucho.

129

—¡Thør Thørrensen, el famoso explorador!
—exclamó entusiasmada—. *¡El silbido salvaje.
Historias de autoestopismo animal* es mi libro
favorito!

—Oh, gracias —dijo Thør Thørrensen
mientras conducía a la orilla su balsa polinesia,
la *Kon-Leekki.*

—¡Hola, Thør! —Menta Woodvine se acercó
a la orilla. Acababa de remachar los remaches
y estaba haciendo una pausa antes de despistonar
los pistones—. Estos son Ottoline y su ayudante,
que se dirigen a Noruega. ¿Puedes llevarlos
en tu balsa? —preguntó.

—Cómo no —respondió Thør, que había
visto el Visado de Desplazamientos
de Ottoline—. ¡Subid a bordo!

—Mi mejor amigo, el Sr. Munroe, ha desaparecido —explicó Ottoline a Thør—. Es bajito y peludo y procede de un pantano de Noruega.

Thør Thørrensen se frotó la barba pensativo.

—Creo que podré echaros una mano —dijo esbozando una sonrisa.

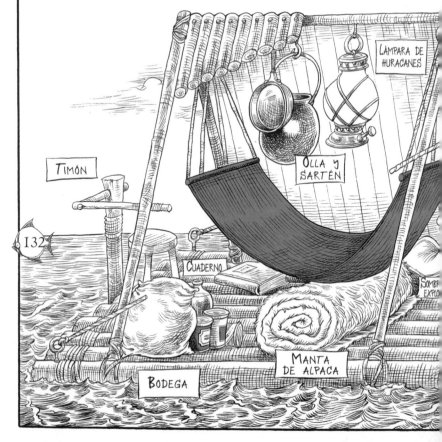

132

LA
KON-LEEKKI

133

Capítulo
Nueve

—Primero perfeccioné el Silbido Salvaje
en mi globo aerostático de los
Mares del Sur —explicó Thør Thørrensen
mientras navegaban—, cuando un albatros
que pasaba por allí me salvó de un volcán.
Luego, en América del Sur, conocí unas llamas
muy amables...

—¡Sí! —le interrumpió Ottoline—. Les
silbaste y te llevaron a los Andes. Ese es
el pasaje favorito del Sr. Munroe —suspiró.

Thør se llevó tres dedos a la boca
y sopló. Ottoline no oyó nada,
pero el oso se tapó los oídos.

—¡Ooooouuuu! —aulló.

Al cabo de un momento, aparecieron en la superficie, junto a la *Kon-Leekki*, dos tortugas marinas, seguidas de una enorme ballena. Luego apareció un águila marina, que se posó en el mástil.

—¿Habéis llevado a alguien bajito y peludo últimamente?

Las tortugas asintieron, el águila emitió un chillido y la ballena soltó agua por su respiradero.

—¿Y adónde fue?

—preguntó Ottoline.

135

La *Kon-Leekki* cruzó el mar hasta llegar a la costa de Noruega. Luego siguió a las criaturas salvajes hasta un estrecho fiordo.

—Mis padres están buscando a Pies Muy Grandes, y creo que el Sr. Munroe se ha ido a ayudarlos —explicó Ottoline—. Es muy valiente y muy servicial. Él…

—¡Pies Muy Grandes! —exclamó Thør—. ¡Pero si es…!

—Sí, ya lo sé —respondió Ottoline—: «Mide tres metros, tiene los dientes torcidos, un genio terrible y zarpas como cuchillos, una maraña de pelo y ojos enormes como faros…».

—Y unos pies muy grandes —añadió Thør—. O eso dicen.

Al final del fiordo, Thør ayudó a Ottoline
y al oso a bajar a tierra, y silbó.

SOMBRERO
DE EXPLORADOR

BUFANDA DE
MENTA WOODVINE

CHAQUETA
DEL CAPITÁN
PASTERNAK

MALETA CON
CAPA DE AGUA
DEL HIMALAYA,
PONCHO DE
LA PATAGONIA
Y CEPILLO
DE PELO

BOTAS DE
PANTANO

El oso hizo una foto de Ottoline con Thør.

—¿Me firmarías un autógrafo, por favor?
—pidió ella sonrojándose—. Es para
el Sr. Munroe… Cuando lo encuentre.

Capitán Pasternak

MentaWoodvine

CUADERNO
DE OTTOLINE

139

Thor Thorrensen

Entonces, llegó trotando
una cabra montesa.

—Soy Ninian, a tu servicio.
¿En qué puedo ayudarte?

—¿Serías tan amable de llevar a mis amigos
por la montaña hasta el pantano que hay
al otro lado? —preguntó Thør Thørrensen
muy amablemente.

Ninian miró al oso de arriba abajo.

—Voy a necesitar ayuda... ¡Bradley! —bramó.

Por la ladera llegó trotando un buey de las
montañas, noruego y muy peludo.

—Este es Bradley —dijo Ninian.

Thør lo saludó.

—¡Feliz
itinerancia!
—dijo.

Y se
preparó
para zarpar.

141

Capítulo Diez

Ottoline, el oso, Ninian y Bradley viajaron hasta la cima por una de las laderas de la montaña y bajaron por la otra. Al llegar al borde del pantano, Ninian y Bradley se detuvieron.

—¿Seguro que queréis continuar? —preguntó Ninian—. Está frío y húmedo. Y por lo visto aquí es donde vive Pies Muy Grandes, el Abominable Trol. Dicen que es…

—¡Sí, lo sabemos! —interrumpió Ottoline despreocupada, y dijo al oso—: ¿Preparado?

—Preparado —contestó él.

Estaba temblando un poco, pero con su capa de agua del Himalaya no se notaba.

—Que os sea leve… —murmuró Bradley.

Ottoline y el oso anduvieron pesadamente por el lodo. Hacía frío…

... y estaba húmedo. Y luego empezó a llover.

No vieron a nadie por ninguna parte.

Entonces Ottoline oyó un estornudo ahogado. Y luego otro. Siguiendo ese ruido, llegó hasta un hoyo. En el fondo había dos habitantes de los pantanos, bajitos y peludos.

—Buenos días —dijo Ottoline—. ¿No habrán visto, por casualidad, algún Colector Itinerante Profesional por aquí últimamente?

Los habitantes negaron con la cabeza.

—¿Y un ser bajito y peludo que responde al nombre de Sr. Munroe? —preguntó.

Uno de ellos señaló con el dedo.

145

Ottoline miró al suelo y vio un rastro de huellas.

—¡Sr. Munroe! —suspiró.

Siguió lloviendo…

... mucho.

Las huellas conducían a una caverna oscura.

—No me gustan las cavernas —dijo el oso—. Prefiero los sótanos y los armarios…

—Ven conmigo… —susurró Ottoline.

151

Ottoline miró a Pies Muy Grandes. Era enorme
y realmente tenía unos pies muy grandes,
pero no era feroz en absoluto. En realidad,
parecía bastante tímido.

—¿Es por ti por quien vino a Noruega
el Sr. Munroe? —preguntó Ottoline.

Pies Muy Grandes asintió con su peluda cabeza.

—Pero ¿por qué no me lo dijiste? —se lamentó
Ottoline dirigiéndose al Sr. Munroe.

El Sr. Munroe tendió a Ottoline las gafas
que había cogido de la colección de los padres
de Ottoline.

Ottoline se las puso…

«BINÓCULOS DE PANTANO»
DEL DR. J. T.
ECKLEBERG. AYUDAN
AL QUE LAS LLEVA
A VER LAS COSAS
CON MÁS CLARIDAD

CAVERNA
DE PIES
MUY GRANDES

157

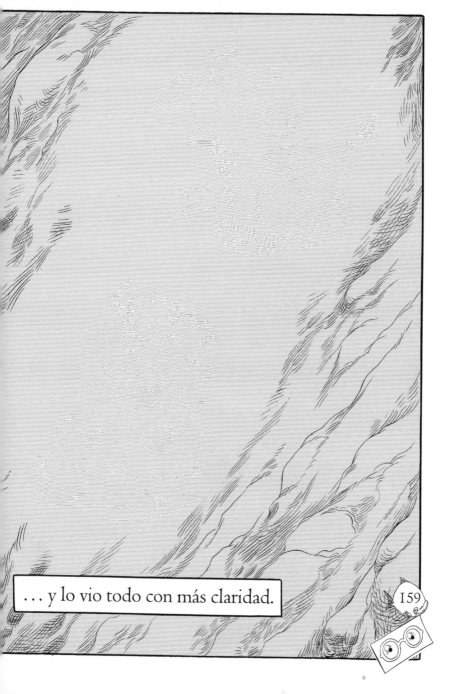

. . . y lo vio todo con más claridad.

—¡Oh, Sr. Munroe, cuánto lo siento!

Ottoline estrechó al Sr. Munroe entre sus brazos y lo apretó muy fuerte—. ¡Nunca más volveré a ignorarte!

—Esta caverna me recuerda a mi caverna de Canadá —dijo el oso, echando una mirada alrededor—. Igual de fría y húmeda, y a muchos kilómetros de todas partes. No me extraña que Pies Muy Grandes esté tan triste. Deberías hacer lo que yo —le propuso a Pies Muy Grandes— e irte de vacaciones.

161

—Pero ¿no te das cuenta? No puede irse
de vacaciones —explicó Ottoline—. Ese
es el problema. Es Pies Muy Grandes,
el Abominable Trol de Trondheim.
Los observadores de trols van tras él
y cuentan historias sobre lo enorme,
feroz y terrible que es... —Pies Muy Grandes
asintió tristemente—. Le darán caza —siguió
explicando Ottoline, mientras Pies Muy
Grandes seguía asintiendo—. Y lo señalarán
con el dedo y lo mirarán y le harán fotos...
—seguía diciendo Ottoline, y un enorme
lagrimón rodó por la peluda mejilla
de Pies Muy Grandes—. A no ser...

Ottoline sonrió.

163

—¡Estás guapísimo! —dijo el oso.

—¡Pareces otro! —confirmó Ottoline.

El Sr. Munroe asintió y Pies Muy Grandes sonrió.

—No sé cómo lo haces, Ottoline —exclamó el oso.

—Muy fácil: con la ayuda de mis amigos y con un plan brillante.

SR. ABERCROMBIE

Sombrero de explorador de Thor Thorrensen

Capa de agua del Himalaya y Poncho de la Patagonia del oso

Bufanda de Menta Woodvine

Chaqueta de segundo de a bordo del capitán Pasternak

Cámara Itineromatic de Ottoline

Botas de pantano Calzados Oso Polar, S.A.

Calcetines de Canadá

165

Ya de vuelta en casa, Ottoline se sentó
en el sofá Biedermeyer con el Sr. Munroe
y se quitó sus zapatos curiosos.

—Puede que vengas de un pantano frío
y húmedo de Noruega —dijo—, pero espero
que sepas que tu hogar siempre estará aquí,
conmigo.

El Sr. Munroe no dijo nada. Solo
se acercó a Ottoline y le dio una postal
que había encontrado en el felpudo
de la entrada.

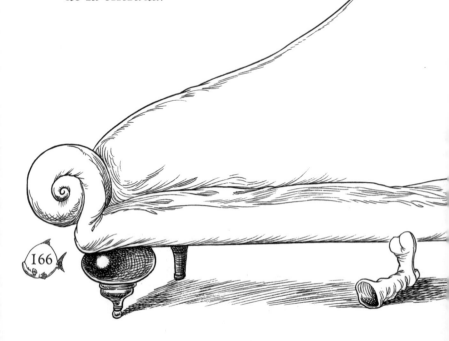

167

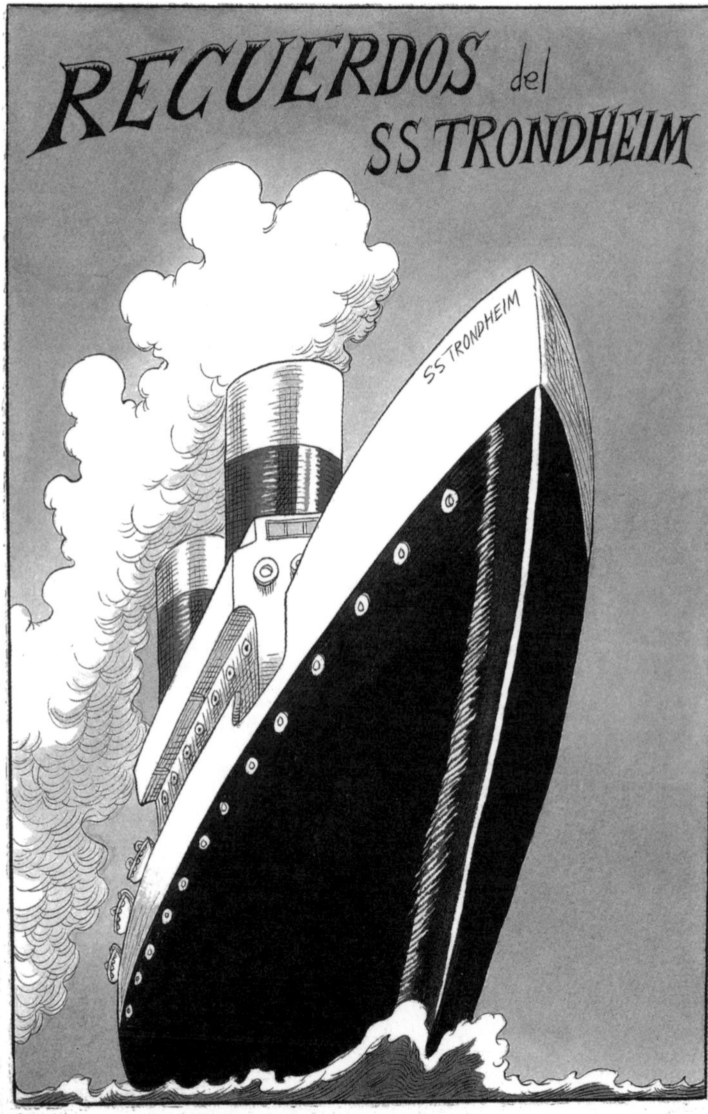
RECUERDOS del
SS TRONDHEIM
SS TRONDHEIM

Querida O:

¡Qué pena que no nos viéramos en Noruega! Ya eres toda una coleccionista itinerante. Papá y yo estamos muy orgullosos y creo que ya es hora de que el Sr. Munroe y tú nos acompañéis en un viaje de coleccionismo. Vamos camino a casa.

Miles de besos,
Mamá

P.D.: ¡Al final no encontramos a Pies Muy Grandes!

P.D.D.: No te olvides de poner los binóculos de pantano en su sitio.

Srta. O. Brown

Apartamento 243

Ed. Molinillo de Pimienta

Calle Tres

GRAN CIUDAD

3001

171

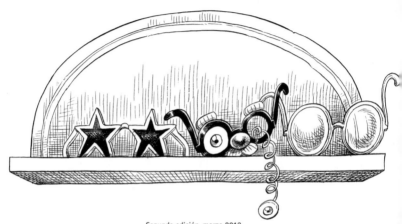

Segunda edición, marzo 2012

Traducción: Elena Gallo Krahe
Edición: Celia Turrión

Título original: *Ottoline at Sea*
Publicado por primera vez por Macmillan Children's Books,
Londres, 2010
© Chris Riddell, 2010
© De esta edición: Editorial Luis Vives, 2011
Carretera de Madrid, km 315,700 - 50012 Zaragoza
Teléfono: 913 344 883 - www.edelvives.es

ISBN: 978-84-263-8070-8
Depósito legal: Z-580-2011
Talleres Gráficos Edelvives (50012 Zaragoza)
Certificados ISO 9001

Reservados todos los derechos. Impreso en España.